El
Poder Curativo
del Árnica

El
Poder Curativo
del Árnica

Phyllis Speight

Grupo Editorial Tomo, S. A. de C. V.
Nicolás San Juan 1043
03100 México, D. F.

1a. edición, marzo 2001.

© Arnica
The remedy that should be in every home
by Phyllis Speight
The C. W. Daniel Co. Ltd
1 Church Path, Saffron Walden
Essex CB10 1JP, United Kingdom

© 2001, Grupo Editorial Tomo, S. A. de C. V.
Nicolás San Juan 1043, Col. Del Valle
03100 México, D. F.
Tels. 5575-6615, 5575-8701 y 5575-0186
Fax. 5575-6695
http://www.grupotomo.com.mx
ISBN: 970-666-366-5
Miembro de la Cámara Nacional
de la Industria Editorial No. 2961

Diseño de portada: Emigdio Guevara
Diseño tipográfico: Rafael Rutiaga
Supervisor de producción: Leonardo Figueroa

Este libro se publicó conforme al contrato
establecido entre The C. W. Daniel Co. Ltd
y Grupo Editorial Tomo, S. A. de C. V.

Impreso en México - Printed in Mexico

Introducción

Es cierto que el árnica es el remedio homeopático más conocido. Esto se debe a que es uno de los remedios homeopáticos que pueden ser usados en casa sin la guía del médico.

Yo he utilizado y prescrito árnica durante 30 años, y aún me sorprendo por todos los padecimientos que puede curar. Muy a menudo he tenido el deseo de hacer esto todavía más conocido.

Las oportunidades se presentan solas, la necesidad existe y de repente se vuelve realidad al poder escribir este libro.

Un paciente vino recientemente a verme y me comentó que su madre se había caído y pensó que ella se había roto la cadera, el dolor era muy agudo. Ella fue llevada al hospital y se le tomaron rayos "X"; el resultado fue que no tenía ningún hueso roto, pero sufría de un severo desgarre en músculos y tendones. Un vecino fue a verla y le dio algunas píldoras de árnica e instrucciones precisas de cómo debía tomarlas; como resultado, ella se alivió de sus dolores rápidamente. Ella no sabía nada de homeopatía y le dijo a su hijo: "Debemos tener más de esa medicina, ya que ésta me ayudó bastante y la quiero tener de reserva en caso de alguna otra emergencia". Mi paciente consiguió dos botellas de árnica, una para él y otra para su madre, y yo le di instrucciones de cómo y cuándo deberían tomarlas. Ese día, más tarde le estaba platicando esto a mi esposo, quien de repente me dijo: "¿Por qué no escribes un pequeño libro acerca del árnica para que más gente pueda obtener beneficio de ella?".

Así que este pequeño libro fue escrito.

Es mi deseo sincero que incontable gente de todos los estilos de vida, jóvenes, viejos, de cualquier profesión u oficio, se vean beneficiados por esta hierba y remedio: el árnica.

Phyllis Speight

Un verso para el árnica

Árnica - para quien se siente lastimado,
o que ha sufrido una contusión.
Cura el dolor de las lesiones.
El dolor provocado por el embarazo;
el dolor provocado por arenillas o piedras
    en los riñones,
dolor de las erupciones de la piel y que
    provocan quejidos,
erupciones de abscesos en la piel,
detiene el sangrado interno
o que sale del cerebro,
cuando se tiene una manía,
evita el desagradable dolor
cuando la cama se siente muy dura.

Stacy Jones, M.D.

Antecedentes del Árnica Montana

El nombre alemán para esta flor silvestre es "Fallkraut" o Hierba Caída, y crece en las laderas de las montañas, donde es necesaria, donde ocurren muchos accidentes: Dios, con su sabiduría, le dio al hombre todo lo que necesitaba y el árnica no es la excepción.

La gente que habita en los pueblos de estas regiones montañosas, y que reconocen a la planta, la recolectan en los meses de verano y la secan para poder utilizarla en otras ocasiones; ellos saben muy bien que si el árnica es administrada después de un accidente, los raspones y el dolor desaparecerán rápidamente.

La flor es amarilla, de un tallo erecto y siempre parece que está mirando al sol. Crece en lugares pedregosos, arriba del nivel de la nieve.

Las virtudes del árnica fueron conocidas 200 años antes de que el Dr. Samuel Hahnemann naciera. Él corroboró estos hallazgos hace más de 150 años, así que fue una de sus primeras comprobaciones, y a partir de entonces, y hasta el presente, este remedio ha sido utilizado por los homeópatas con excelentes resultados.

Principalmente es conocida por su efecto curativo en el campo de los accidentes, como cuando ocurre un traumatismo con un raspón muy extenso. Probablemente muchos de los lectores se sorprenderán al saber que en la Guía de Síntomas de Hering, una guía médica de 10 volúmenes, los síntomas que alivia el árnica ocupan más de 30 páginas.

Esto sin duda es un campo de acción muy amplio, pero para el propósito de este libro, la información acerca del árnica está limitada a los síntomas que pueden ser manejados con seguridad y rapidez en casa.

La Dra. Margaret Tyler, en su libro *Retratos de la Medicina Homeopática* menciona que el árnica debe estar en cada hogar, y todos sus habitantes deben conocer sus usos.

Ella menciona que aún recuerda a un bisnieto de Nelson que se cayó en los Andes, a quien vio solo hace unos cuantos años, y que le platicó la historia de cómo la gente de esa región utiliza el árnica: sólo ponen agua hirviendo con la planta y le dan a beber al herido esta infusión con resultados sorprendentes.

Parece ser que en esta "sofisticada" era de viajes rápidos a la Luna, medicinas modernas y hippies, las cosas simples de la vida casi se están olvidando.

Si el árnica, esta planta medicinal, pudiera ser introducida en cada una de las casas del mundo entero, incontables hombres, mujeres y niños podrían estar a salvo de una buena cantidad de sufrimiento.

En las siguientes páginas les damos los detalles de cuándo y por qué debe ser utilizada el árnica.

Lesiones y traumas

En este campo es donde brilla más intensamente el árnica.

Si ocurre una lesión, no importa si es un moretón por una caída en casa o una lesión, como resultado de un accidente automovilístico o la caída de una escalera o en la banqueta, o sólo un tropezón con alguna persona, siempre debe haber a la mano una botella con árnica.

Un moretón es el resultado de casi todos los accidentes, y si algo más serio nos ocurre, como un hueso roto, una o dos dosis iniciales de árnica pueden mejorar las cosas, aun cuando se requiera de un tratamiento de mayor profundidad.

Pero algo más importante que el moretón existente es el traumatismo provocado por lesiones y accidentes. El árnica remueve este traumatismo rápidamente y por completo, y en consecuencia, pareciera que el paciente se recupera más rápidamente de las lesiones físicas. Yo he conocido gente a la que le ha tomado mucho tiempo recuperarse de un accidente, las lesiones físicas han sanado, pero ellos mismos no se sienten bien y muy a menudo se deprimen. Creo que la causa de esto es el trauma al sistema; a ellos no les han hablado del árnica y la desconocen.

Nadie puede evaluar las consecuencias del trauma en el organismo humano. Lo que nosotros conocemos es que éste hace sus marcas de acuerdo a las características del individuo, y todos somos diferentes, algunos más sensibles que otros. Sin el árnica, el trauma es difícil de eliminar.

Un punto debe quedar claro, el árnica sólo podrá remover los traumas provocados por accidentes o lesiones. Otros tipos de traumas son tratados por diferentes remedios homeopáticos, los cuales no pueden ser revisados aquí.

Hace algunos años iba caminando con mi madre en un pueblo con calles empedradas, cuando ella se tropezó con una piedra, y antes de que yo pudiera hacer algo, ella se cayó. La ayudé a levantarse y me di cuenta que su nariz estaba raspada y sangraba y uno de sus brazos estaba un poco morado. Afortunadamente estábamos afuera de una tienda de antigüedades y ella se sentó en una de las sillas que estaban en exhibición, mientras tanto, localicé algo de árnica y le di una dosis. Fui por el carro tan rápido como pude y ayudé a mi madre a subir, para este momento ella se sentía menos asustada y su nariz casi había dejado de sangrar. El regreso a casa nos llevó más o menos media hora, y tan pronto como llegamos hice algo de té, que ella tomó con otra dosis de árnica de muy buen gusto. Su nariz y su mejilla, que se habían empezado a inflamar un poco, ya estaban mejorando; ella dijo que ya se estaba sintiendo mejor y que su brazo le dolía menos. A la hora de acostarse se tomó otra dosis de árnica y durmió muy bien. A la mañana siguiente su cara se veía mucho mejor, no había inflamación y el raspón estaba cicatrizando, sólo le quedaba un pequeño moretón. Su brazo estaba un poco rígido, pero con mucho menos dolor; se tomó otras dos dosis de árnica y todo mejoró. En aquel tiempo, ¡mi madre tenía 75 años de edad!

Al otro lado de la escala, los niños reciben grandes beneficios del árnica, y al mismo tiempo se evita una gran cantidad de preocupaciones para la madre.

Los niños sufren muchas caídas, algunas de ellas dolorosas, y cuando puede haber cortadas profundas o moretones severos, siempre existe un elemento de miedo y de trauma. Una dosis de árnica aliviará rápidamente una pequeña lesión y detendrá las lágrimas, otro par de dosis de árnica pueden ser necesarias si el moretón es extenso.

Aun si el hueso está roto (esto aplica también a los adultos), existe moretón y trauma, el árnica es la primera medicina que se debe administrar.

Las medicinas homeopáticas también funcionan bien en animales. Hace algunos años teníamos un precioso gato persa llamado Tibby. Un día me lo encontré sentado muy derecho en una silla; esto no era común, pero cuando lo llamé para su comida no se movió y esto no era normal. Intenté cargarlo, pero lloró e intentó morderme, me di cuenta de que algo estaba mal. Me puse un par de guantes delgados y lo examiné, observé que el dolor venía de una de sus patas delanteras, aunque no estaba rota. Lo puse cómodamente en la silla y le di algo de árnica, le preparé un plato de leche para que bebiera y lo dejé mientras preparaba la cena. Le di a Tibby otra dosis de árnica a la hora de acostarse y obviamente durmió muy bien, tanto que en la mañana él no se movió (por aquel tiempo vivíamos en una avenida principal y llegué a la conclusión de que había sido aventado por un carro que pasaba y su pata delantera había sido seriamente lastimada). Lo cargué y esta vez no intentó morderme o arañarme, así que lo puse suavemente en el piso. Obviamente la pata todavía le dolía y aún no podía sostener su peso en ella, pero durante los siguientes dos días hubo grandes progresos. Tibby tomó tres dosis de árnica diariamente, y para el cuarto día se había aliviado. Pero en las semanas siguientes, si él quería agradar, se sentaba con la pierna suelta y la pata colgando.

Nosotros tenemos una botella de árnica en la cocina y otra en la recámara, hay otra en el auto y otra en mi bolso, mi esposo lleva una en su bolsillo. Es sorprendente cuánto puede uno ayudar a un familiar o a un amigo si se tiene árnica a la mano, y en algunas ocasiones se la hemos ofrecido a un extraño después de un accidente y lo convertimos a la Homeopatía.

A menudo, hay casos cuando los tendones, coyunturas o huesos están involucrados y el árnica no ayuda a resolver el problema por completo. Si los tendones se mantienen débiles a pesar de que lo amoratado se ha controlado, entonces unas cuantas dosis de *rhus tox 30* deben administrarse. Por otro lado, si las coyunturas permanecen débiles y suaves *calc carb* es el remedio y unas cuantas dosis de 30ª potencia debe administrarse después del árnica. Si el hueso está adolorido debe administrarse *ruta 30* después del árnica.

Sueño

Existen varias medicinas homeopáticas que ayudan a conciliar el sueño de aucerdo a los síntomas de los pacientes, pero también en este campo el árnica puede ser de bastante utilidad.

La sensación que hace única al árnica respecto a otros remedios es que "todo en lo que se reposa parece muy duro". Esto es porque el paciente siente dolor en todas partes, y no porque la cama sea de hecho demasiado dura.

El árnica es un remedio reconfortante, y si la falta de sueño persiste, se debe administrar una dosis, así cuando el cuerpo sea reconfortado, el dolor disminuirá y el sueño invadirá al paciente.

Esto se hace evidente cuando se recomienda un tratamiento con árnica, yo he recomendado que la última dosis del día sea tomada a la hora de acostarse. Esto es para asegurar un buen sueño nocturno, seguido de un buen descanso después de un esfuerzo físico, o una lesión de cualquier tipo.

Debemos recordar que el árnica o cualquier otro remedio homeopático que se tome para la falta de sueño no produce hábito como lo hacen las píldoras común y corrientes para el insomnio, por esto se puede seguir tomando árnica por el tiempo que sea necesario sin tener ningún efecto indeseable.

Problemas dentales

Si se pudiera persuadir a los cirujanos dentistas para que tengan botellas grandes de árnica en sus consultorios, para utilizarlas en los pacientes a quienes se les va a extraer algún diente, o evitar sensaciones incómodas en el sitio de la inyección, se podría evitar el dolor y la incomodidad.

Cuando un diente ha sido extraído con la ayuda de algún anestésico, la encía queda adolorida por un buen tiempo, y si la anestesia es por medio de una inyección para congelar la encía, queda algo de dolor e incomodidad cuando se recupera la sensibilidad.

Unas cuantas dosis de árnica quitarán lo adolorido y nuevamente se tendrá la sensación de alivio en la boca.

Hace algunos años, a mi esposo le tuvieron que extraer un diente y el dentista tardó más de media hora en sacarlo; la raíz había crecido dentro del hueso de la quijada. Esto fue en la mañana, y el dentista le había recomendado que tomara algún analgésico durante el resto del día, particularmente a la hora de acostarse para que lo ayudara a dormir. De hecho tomó una dosis de *árnica 30* tan pronto como subió al automóvil para regresar a casa y tres dosis más durante el día (la última antes de dormir). Él pudo disfrutar de una buena comida en la tarde, no tuvo dolor y durmió tranquilamente.

Hace poco me hicieron una extracción, y después tomé dos dosis de *árnica 30* y no sentí nada, aún cuando había tenido un absceso que fue la razón por la cual me tuvieron que sacar el diente.

El árnica ayuda también después de que un diente ha sido tapado, cuando es necesaria una inyección y cuando se tiene que taladrar bastante.

La odontología actualmente es casi sin dolor, y el árnica cuida de las consecuencias de la extracción y de la sensibilidad.

Es inteligente tener *árnica 30* a la mano y tomar una dosis inmediatamente después de que el tratamiento terminó. Esto puede ser repetido en intervalos de una hora por más de tres dosis, si esto es necesario, y después de esto se puede tomar una dosis si vuelve el dolor, pero yo dudo que esto sea necesario.

Trauma

El trauma y el shock han sido mencionados en otros capítulos, pero como esta faceta del árnica es importante, me extenderé en ello.

El Dr. John H. Clark, en su *Diccionario de la Práctica en la Materia Médica* de tres volúmenes dice: "Es posible decir ser *Traumático por Excelencia*. El trauma, en todas sus variedades y efectos recientes y lejanos, es atacado por el árnica como ningún otro remedio".

El Dr. E. B. Nash dice: "Siempre se debe recordar en las afecciones graves y crónicas que son resultado de algún trauma, entre ellas están contusiones, fractura del cráneo con compresión del cerebro, dolores de cabeza de larga duración, sordera, afecciones por gases en él estomago o alguna otra víscera".

Él continuó contando un caso histórico: "Una vez curé a un hombre que había sufrido por varios años lo que él y su médico habían llamado dispepsia. Él se vio obligado a abandonar sus negocios porque no podía comer lo suficiente que le ayudara a mantener sus fuerzas. Sus médicos le habían dicho que no volvería a estar bien otra vez, y él mismo había perdido toda esperanza. Esta enfermedad fue provocada por la patada de un caballo en el estómago. Unas cuantas dosis de árnica lo curaron en poco tiempo, y retomó sus negocios".

Cualquier médico que tiene casos de pacientes con gases se siente frustrado al tomar un caso que parece ser muy claro y que no responde al remedio indicado. Aquí es cuando es muy importante conocer la causa del problema; si nosotros podemos acertar en los síntomas de una mala caída, un accidente o cualquier cosa que provoque una lesión física, entonces debe darse un tratamiento de árnica, porque esto hace más probable que los síntomas que no responden al remedio indicado hayan sido causados por algún trauma del accidente. Cuando éste es eliminado, los otros síntomas físicos desaparecerán.

Yo he ayudado a mucha gente que sufre dolores de cabeza severos. Ningún dolor de cabeza o remedio constitucional los ha tocado, pero después de algunas dosis de árnica, ¡éstos desaparecen como si fuera magia!

También recuerdo a una mujer de alrededor de 30 años de edad que vino a verme hace algunos años, ella tenía corea un poco grave y estaba muy deprimida. En el transcurso del interrogatorio me dijo que tres años antes fue golpeada por una bicicleta y estuvo inconsciente por más de 24 horas. Le di un tratamiento con árnica y en poco tiempo el corea había desaparecido, se había liberado de la depresión y no había regresado. Ambos síntomas fueron una "resaca" de la contusión cerebral. Es importante recordar que el árnica funciona aun cuando el trauma haya sido hace varios años.

El árnica es, sin lugar a dudas, un remedio maravilloso.

Pies cansados

"**M**e encanta bailar. ¡Pero cómo me duelen los pies!".

No existe nada más incómodo que los pies cansados, y mucha gente sufre de esto, especialmente en los climas cálidos.

Si alguien tiene que estar de pie todo el día, entonces tendrá que usar zapatos a su medida, cómodos y no muy ajustados.

Existen muchas causas para que los tobillos y las plantas de los pies se hinchen, lo que provoca incomodidad en los pies y dificultan el caminar, no obstante, de estas causas no hablaremos ampliamente en este libro.

Cuando no hay algo que esté mal, los pies se ponen calientes, y el caminar se torna muy difícil, el árnica aliviará los músculos cansados, restaurando una vez más el confort. El árnica puede ser ingerida, pero unas cuantas gotas de Tintura de Árnica (puede ser comprada en cualquier farmacia) agregadas al agua caliente para un baño de pies, durante más o menos diez minutos, proporcionan un alivio inmediato.

Alivia el cansancio

En estos días mucha gente se queja de cansancio excesivo, ¡y esto no es exclusivo de la gente de más edad!

Desde luego que existen muchas causas y no hay duda que un reajuste de hábitos, como el dormir bien y aprender a relajarse, pudiera ser benéfico para mucha gente.

En casos donde el cansancio excesivo proviene de utilizar los músculos más de lo habitual, el árnica está indicada.

Muchas mujeres hacen más trabajo en la casa en ciertas temporadas: descolgar y colgar cortinas muy pesadas, lavar paredes y ropa más de lo normal, que requiere de movimientos de flexión y extensión poco habituales y donde se necesita una gran cantidad de esfuerzo físico. Esto provoca una gran presión sobre los músculos, dando como resultado cansancio excesivo.

Después de un frío invierno de inactividad, las actividades de jardinería durante los primeros días de la primavera se vuelven un tormento. Nuevamente inclinarse, remover, tratar de hacer muchas cosas antes del atardecer, hace que uno se sienta con gran cansancio, quejándose de dolor de espalda y probablemente también en los brazos y piernas.

Cuando se ha jugado el primer juego de la temporada, ya sea tenis, béisbol o fútbol, los jugadores generalmente sufren de dolores musculares, aunque después de dos o tres juegos ya no existe dolor.

El árnica quitará todo el dolor de músculos cansados sin importar la causa.

Se deben tomar dos píldoras a la *30ª
potencia* tan pronto como sea posible después de que se sienta el dolor, y esta misma
dosis se puede repetir dos horas más tarde,
siempre y cuando sea necesario. En estos
casos, dos píldoras a la hora de acostarse
aseguraran un sueño reparador sin ninguna
señal de dolor a la mañana siguiente.

Árnica en la escuela

Los niños constantemente se caen, sufriendo una gran variedad de heridas pequeñas: raspones, cortadas y desgarres. Correr, pelear, el fútbol y otro tipo de ejercicios contribuyen a todos estos problemas, donde también existe cierto grado de traumatismos. Todos estos casos pueden ser solucionados con algunas dosis de árnica.

Debido a que es un remedio natural y muy seguro, preparada de manera especial (potenciada) para uso homeopático, algunos padres precavidos han enseñado a sus hijos a que tomen árnica cuando sufran alguna pequeña lesión, sin riesgos de algún efecto secundario.

Los niños son aptos para hacer ejercicio en exceso, y se vuelven irritables si no liberan el exceso de cansancio. Una vez más, en estos casos el árnica puede probar sus ventajas. Actúa rápidamente en los músculos cansados y ofrece alivio y confort al niño impaciente.

Es preciso recordar que, aun cuando el árnica es el remedio principal para músculos y partes blandas lastimadas, si el hueso está lastimado, unas cuantas dosis de *ruta 6* cada dos horas proporcionará alivio inmediato. Un ejemplo del valor de la *ruta* se dio hace algunos años cuando una escritora reportó que durante una travesía en el Atlántico, cuando el mar estaba muy picado, se lastimó una mano, por lo que no le fue posible utilizar su máquina de escribir durante bastante tiempo.

Finalmente le dieron diariamente unas cuantas dosis de *ruta*, y rápidamente se recuperó su mano y nuevamente pudo empezar a escribir su manuscrito.

Los niños frecuentemente se pelean y obtienen un ojo morado; en esos casos *ledum* resuelve el problema de forma sorprendente. En muy poco tiempo unas dosis de *30ª potencia* en intervalos de una hora, puede borrar todo rastro de la lesión ¡como por arte de magia! Y una dosis de árnica al inicio del tratamiento quita cualquier trauma.

Torceduras

Este es otro campo donde el árnica brilla con luz propia.

Los tendones hechos "bola" de un tobillo o una muñeca torcidos (o de cualquier otra parte del cuerpo), se recuperan con algunas dosis de árnica. Rara vez se requiere de otro tipo de medicamentos.

Hace algunos años, mi esposo tenía una sociedad con un médico homeópata, y durante unas vacaciones mi esposo se quedó a cargo del negocio. Una tarde, cerca de las 4 p.m., salió del consultorio para mover el carro unos cuantos metros de donde se encontraba y tontamente decidió empujarlo en lugar de encender el motor y manejarlo, olvidando que a media calle había un hoyo del drenaje. Obviamente, metió el pie derecho en el hoyo, torciéndose seriamente el tobillo.

Regresó cojeando al consultorio y se tomó la primera árnica que tuvo a la mano —*3ª Potencia*— y continuó dosificándose con esta medicina cada 15 minutos hasta cerca de las 8 de la noche, cuando tuvo que manejar de regreso a casa una distancia de 30 millas, aproximadamente.

Se dio cuenta que podía utilizar su pie derecho con una pequeña molestia al meter el acelerador. Para la hora de acostarse, ya podía apoyar el pie en el piso sin sentir ningún dolor.

Esto es importante porque ilustra que una pequeña potencia (la 3ª) curó en muy pocas horas la torcedura del talón, aun cuando se tuvo que tomar muchas dosis en pequeños intervalos, y esto no hubiera sido el caso si la potencia que se tomó hubiera sido más alta como *6ᵃ*, *12ᵃ*, o *30ᵃ*.

Operaciones

Siempre es beneficioso tomar árnica antes y después de una operación quirúrgica.

Otra vez, volvemos a encontrar irritación en la piel (muy a menudo se tienen que utilizar varias suturas), y todos los que han experimentado una operación, recuerdan la irritación y el sentimiento de dolor que sigue a la operación.

El árnica es un excelente remedio para el trauma quirúrgico, y de ser posible, se deben administrar por anticipado tres dosis, la primera a la hora de acostarse la noche antes de la operación, la segunda a la mañana siguiente, y la tercera inmediatamente después de la operación. Una o dos dosis subsecuentes pueden ser convenientes, aun cuando se administren otros medicamentos, esto de acuerdo al tipo de cirugía o las necesidades de cada persona.

Con gran interés vi un programa de televisión donde muestran dos operaciones realizadas en China donde utilizaron la acupuntura como una forma de anestesia. A un hombre joven le fue quitado un tumor de la tiroides en el cuello, y a un anciano le quitaron una parte de un pulmón. Ambos estaban conscientes y estuvieron platicando durante la operación, y el joven estuvo en condiciones para salir caminado del lugar de la cirugía. Tres o cuatro horas después, ambos estaban en posibilidades de sentarse en la cama y comer una sopa.

En ambos casos no hubo traumatismo quirúrgico. Pero el uso de la acupuntura en cirugías es poco frecuente en el mundo occidental, y pasará un buen tiempo antes de que el árnica y otros remedios homeopáticos sean mejorados para eliminar el trauma de la cirugía.

Reumatismo

Uno no cesa de maravillarse por la velocidad con que se logra una curación cuando el remedio correcto es administrado.

Mucha gente padece de reumatismo y existen innumerables medicamentos para combatir esta dolorosa enfermedad. El árnica juega su parte y desaparece los síntomas rápida y eficientemente cuando hay sensación de dolor e irritación en los músculos, rigidez, dolores reumáticos y dolor de coyunturas. El dolor es muy señalado por el paciente que tiene mucho temor y miedo a ser tocado, situación que empeorará el dolor (esto puede ser más marcado en casos de gota, donde el árnica está indicada).

Si existen problemas de espalda, el árnica eliminará los dolores de la espina; la espina se siente como si no pudiera sostener el peso del cuerpo; como si le hubieran golpeado parte de la espalda, son dolores que presionan los omoplatos.

Las piernas se sienten demasiado pesadas, y parece imposible levantarlas, esto es por los dolores de las coyunturas y es tanto en reposo como en movimiento.

Las extremidades se vuelven sensibles a cualquier vibración y a cualquier impacto mientras se conduce un carro o cuando se camina en una superficie dispareja.

Hay tronidos en las coyunturas de las muñecas, más en la derecha; los dolores en las muñecas mejoran dejando colgar las extremidades y presionado donde hay dolor en los dedos. Estos dolores se sienten como desgarres y pueden sentirse también en las extremidades inferiores.

Todos los desgarres con dolor requieren de árnica.

Indicado en todos los que hacen deporte

Cuando veo cualquier tipo de deporte, mi deseo es administrar una o dos dosis de árnica al jockey que se cae de su caballo, al futbolista que fue pateado, al que juega tenis cuando es golpeado por la bola, al beisbolista cuando está tratando de hacer una atrapada difícil o al boxeador cuando su cara se comienza a hinchar o algo parecido.

Me doy cuenta que todos ellos son deportistas profesionales, pero ellos, al igual que todos los amateurs, podrían beneficiarse muy a menudo por una dosis de árnica, porque al menos de que se les rompa un hueso, las heridas son muy comunes y una herida seria puede causar una gran cantidad de dolor e incomodidad.

Independientemente de la incomodidad física, un golpe de una pelota de béisbol, de tenis o una caída del caballo, pueden provocar un trauma en el organismo, haciendo sentir a la víctima un poco mareada, con rodillas débiles y probablemente con un poco de náusea. Como se explica en el capítulo de *Lesiones*, el árnica elimina este trauma propiciando la recuperación rápida del accidentado, un punto muy importante para todos aquellos que realizan algún deporte.

Una joven amiga mía me telefoneó un sábado por la tarde antes de Navidad para preguntarme si podía ayudar a su marido, al cual le dieron una patada mientras jugaba rugby esa tarde. Su pierna, arriba de la rodilla, estaba inflamada, raspada y con mucho dolor. Ella consiguió algo de árnica y esa noche le dio a su esposo tres dosis, la última antes de que él se acostara. Durmió bien, y a la mañana siguiente, estaba mucho mejor y la hinchazón había desaparecido, pero estaba todavía un poco rígida. Se tomó dos dosis más y se olvidó del remedio, lo que significaba que su pierna estaba nuevamente bien, tan bien, que hasta él mismo la había olvidado.

Muy a menudo, el jugador de basquetbol se lastima los dedos cuando trata de atrapar una bola que va demasiado rápida y no la puede detener. Mi esposo y yo estábamos viendo un encuentro hace algunos años cuando algo así ocurrió, y el jugador tenía tanto dolor, que tuvo que abandonar el juego, fui a verlo y encontré que tenía el dedo demasiado herido e hinchado, y el joven no se sentía muy bien. Le administré árnica.

La primera dosis surtió efecto rápidamente y quitó de forma importante el dolor, después de la segunda dosis, una hora y media más tarde, él se sentía considerablemente mejor y estuvo rápidamente en posibilidad de jugar nuevamente. Afortunadamente, ya casi era la hora de comer, y después de eso él regresó al juego ¡y lo jugó muy bien! Estoy segura que no hubiera podido hacer todo esto sin la ayuda del árnica.

Una dosis de la *30ª potencia* se debe tomar tan pronto como sea posible después del accidente, y ésta puede ser repetida en intervalos de media hora por más de tres dosis, de acuerdo a la severidad de la lesión. Subsecuentemente, si es necesario, y con menos frecuencia, se pueden administrar otras tres o dos dosis, recordando que siempre será mejor si la última dosis se administra a la hora de acostarse.

Antecedentes de los remedios homeopáticos

El árnica, así como todos los remedios homeopáticos, son preparados por medio de un proceso especial llamado potencialización, un método único que libera el poder curativo intrínseco que es identificado por el conocimiento de un experto, y por ello, es aconsejable comprar todas estas medicinas con un químico especializado en farmacología homeopática.

Cuando pida un remedio, siempre mencione el número seguido del nombre, por ejemplo, *árnica 6*, *árnica 30*, etc. Así se asegura que le den la potencia correcta. También es aconsejable especificar la forma en la que requiere la medicina, puede ser comprada en gránulos o tabletas adicionadas con un líquido. El efecto en cada forma es exactamente el mismo, pero son recomendables los gránulos, ya que son fáciles de manejar. La dosis para los gránulos y las tabletas es de dos, y el líquido debe administrarse dos gotas en una cucharadita de agua.

Muchos químicos tienen en la farmacia tintura de árnica y ésta puede ser usada para aplicaciones externas. Puede ser diluida agregando unas cuantas gotas a un vaso de agua. Una cucharadita para un baño de pies aliviará el dolor en esta parte del cuerpo, y una cucharada sopera en un baño caliente, ayudará a los músculos cansados. **¡PERO NUNCA APLIQUE ÁRNICA EN HERIDAS ABIERTAS, CORTADAS O ABRASIONES!**

Casos históricos interesantes

La Dra. Margaret L. Tyler, una homeópata reconocida mundialmente, escribió un libro muy interesante titulado *Fotografías de las Medicinas Homeopáticas* para el estudio de la Homeopatía como Materia Médica por médicos y estudiantes.

A continuación, se presentan unos extractos del libro.

"Un doctor, muy fatigado mental y físicamente, perdió todo interés en su trabajo.

Su usual seguridad en sí mismo desapareció, así que empezó a dudar de sus prescripciones y se preguntaba si no había prescrito demasiado de algo o hasta una medicina equivocada. Nunca estaba seguro si había cerrado la puerta o apagado la luz, tenía que regresarse a revisar.

"Naturalmente estaba realmente alerta y estos cambios de mentalidad le preocupaban. El árnica lo puso bien en unos cuantos días y recuperó la memoria y la confianza en sí mismo".

"Una persona que se cansaba fácilmente estaba realmente agotada por haber estado varios días de compras en Londres. La fatiga siempre le había significado una mala noche, a menos que ella tomara algo de árnica. En una ocasión, había sido vacunada y su brazo estaba inflamado, adolorido y con ampollas dolorosas en el mismo, y además de todo esto, había tenido un día muy pesado en

Londres, así que por la noche tomó árnica. Para su sorpresa, no tuvo más molestias de la vacuna" (el árnica puede ser de utilidad en algunos padecimientos infecciosos).

"Dos niñas, de nueve y cinco años, fueron llevadas al hospital después de haber sido atropelladas por un taxi. Ambas estaban inconscientes y muy lánguidas. Fueron revisadas por los cirujanos a las pocas horas de haber sido admitidas y ambas fueron declaradas como desahuciadas. A ambas les dieron árnica ¡y a la mañana siguiente se sentaron y pudieron comer!".

"DESGARRES. Un tobillo desgarrado seriamente en las escaleras una noche ya muy tarde. El accidentado sabía que era mejor sentarse y mover el pie de un lado a otro, que tratar de caminar apoyándose en el pie. De alguna forma se arrastró hasta la cama y tomó árnica. Al siguiente día tomó más árnica y movió el pie hasta sentir cómo hueso tras hueso volvía a su lugar. Mejoró más o menos en 24 horas''.

La Dra. Tyler dice: "Aquí tienen un consejo, no caminen con un pie cuyas coyunturas son un rompecabezas y pudiera estar lastimado. Éstas pudieran pellizcar cualquier nervio ocasionando dolor e inflamación y tener que estar en reposo varias semanas. Para volver a acomodar este rompecabezas, sosténgase de cualquier sitio, doble su rodilla, y con los dedos de los pies en el suelo, flexione su pie hacia delante y hacia atrás, continúe de esta forma hasta que todo vuelva a su posición, el árnica se encargará del resto''.

La Dra. Dorothy Shepherd, otra doctora en homeopatía ampliamente conocida, en su libro *Homeopatía para Primeros Auxilios*, recomienda el uso del árnica en un sinnúmero de casos, y el siguiente es uno de los que ella menciona: "Hace años vi a un viejo seriamente descalabrado con una herida muy extensa en el cuero cabelludo. Después de haber desinfectado la zona, se le tuvieron que dar seis puntadas. El paciente estuvo inconsciente durante todo este procedimiento y la pupila no respondía a la luz. Entonces se le administró sobre la lengua una dosis de árnica en polvo, y antes de que terminara de esterilizar los instrumentos, el paciente volvió en sí y preguntó en dónde estaba. Esto fue como si lo hubieran anestesiado y el afecto de la anestesia se hubiera terminado. La dosificación del árnica se repitió cada cuatro horas, y dentro de las primeras 12 horas, el paciente comió muy bien y no lo volví a ver nunca".

Una experiencia en Sudáfrica

"...Ahora tengo algo verdaderamente importante que comentarles. Como ustedes

saben, yo voy al gimnasio muy frecuentemente. Un miércoles, me encontraba
haciendo ejercicio en el gimnasio y estaba
levantando tanto peso que perdí el control de
las piernas y me di un tirón en la cadera
izquierda. El dolor fue tan intenso que caí al
piso sintiéndome en agonía. Mis compañeros
debieron pensar que me estaba volviendo
loco. Me masajearon la pierna.

"Entonces recordé que teníamos árnica
1M en el cajón de mi escritorio. Casi lo había
olvidado, esta ahí desde hace más o menos
tres años. Me tomé una dosis e hice el intento
de caminar o cojear alrededor. Varios años
antes había leído un libro del Dr. Christopher
Woodard llamado *Lesiones en el Deporte* en
el que recomienda que, después de una lesión
muscular, se mueva el músculo tan pronto
como sea posible y tanto como sea posible,
esto es para prevenir que el tejido lastimado
se adhiera y ayudar a que el músculo se

recupere completamente. Así que continúe caminando.

"Después de 20 minutos tomé otra dosis de árnica. Poco después me vestí y caminé casi una milla y media de regreso a donde había dejado estacionado mi automóvil. Cuando llegué, caminaba ya casi bien, con algo de rigidez. Después de que llegué a casa, una hora más tarde, tomé otra dosis de *árnica 200*, y una hora más tarde tomé una segunda dosis. Me fui a la conferencia del señor Puddephatt, y ya casi no me acordaba del dolor de la pierna. Durante la conferencia me tomé *rhus tox 200*, y antes de acostarme, me tomé una segunda dosis de la misma medicina. A la mañana siguiente, el dolor había desaparecido y el músculo estaba completamente curado.

"Yo creo que esto es verdaderamente importante, porque de verdad escuché el tirón del músculo. He sido atleta por 20 años y durante todo este tiempo fui luchador y nunca tuve un desgarre muscular tan serio o que se haya curado con tal rapidez.

"¡Ahora que voy al gimnasio mis amigos no lo pueden creer!".

Comentarios de los viejos maestros de la homeopatía

El Dr. James Tyler Kent, en sus conferencias de Homeopatía como Materia Médica dice: "No es de extrañar que el árnica sea utilizada en raspones, pero es inútil ponerla de manera externa, inhalarla o usarla en forma de tintura. Si usted ingiere árnica en grandes dosis, le aparecerán manchas rojizas que se volverán amarillentas debido a la quimosis por la extravasación de pequeños vasos capilares. Esto, en alguna medida se lleva a cabo en el sito del raspón. Es una extravasación de la sangre de los capilares, y algunas veces de los vasos importantes. Y es como cuando todo el cuerpo está lastimado y adolorido, como si lo hubieran golpeado. Si observa a un paciente con tratamiento de árnica, usted lo podrá ver moviéndose y dando vueltas. Usted mismo se preguntará por qué está impaciente, no importa si está semiconsciente, usted lo verá dando pequeñas vueltas de un lado al otro, hasta que esté totalmente del otro lado, entonces comenzará nuevamente y se pondrá poco a poco algo rígido y volverá a voltearse de un lado al otro. Si uno le pregunta: '¿Por qué te mueves tanto?', él nos dirá que siente la cama dura. Esta es una manera de decir que siente el cuerpo adolorido. Un individuo más inteligente dirá que es porque está muy adolorido, lastimado, golpeado y quisiera estar en un nuevo lugar. Este estado doloroso estaría presente si fueran síntomas de tifoidea, una fiebre intermitente o fiebre remitente, o después de una lesión cuando en verdad se siente muy lastimado. Usted puede observar la misma y continua inquietud con movimientos a cada minuto. Se mueven y sienten que ahora sí estarán más cómodos, pero esa comodidad dura sólo unos segundos. Lo adolorido aumenta tanto como permanezca acostado, y se vuelve más importante si es obligado a moverse.

"Otra vez 'todo el cuerpo se siente rígido y adolorido', se siente como si estuviera herido; una rigidez reumática, las coyunturas están inflamadas, adoloridas y rígidas. El árnica es lo más indicado para este dolor y padecimiento del cuerpo. Por esto, el árnica es un medicamento muy importante en lesiones, raspones, traumas, lesiones de las coyunturas, lesiones de la espalda con rigidez y dolor... El árnica muy a menudo elimina el dolor de un talón luxado y permite, para sorpresa de todo el mundo, en muy poco tiempo caminar nuevamente".

El Dr. Fergie Woods, en su libro *Prescribiendo lo Esencial de la Homeopatía*, dice lo siguiente:

"El árnica, administrada inmediatamente después del golpe, caída o trauma físico, previene el dolor y otros efectos locales nocivos. En algunas lesiones, los resultados para contraatacar estos malestares pueden darse aun años después del golpe, del dolor, el ardor y lo lastimado de una herida o en reumatismo, etc.

"Efectos de una presión en exceso: Sensible al dolor y al roce, la cama se siente muy dura. Cuando se está muy enfermo, se puede decir que no hay nada que hacerle.

"En estados de inconsciencia pudiera dar solución a casos que se puede decir no hay nada malo con ellos: apoplejía, meningitis, hidrocefalia (especialmente después de una caída), hemorragias. Puede controlar el san-

grado después de una extracción dental, etc.
Gota con temor a ser tocado por alguien al
acercarse. Pequeños dolores por erupciones. Dolores después de dar a luz o alguna
operación. Cuando se empeora con la in-
movilización, hay necesidad de moverse
constantemente".

En *Homeopatía en Medicina y Cirugía,*
el Dr. Edmund Carleton dice: "La pleuresía,
como resultado de una costilla fracturada,
¡puede ceder completamente con el árnica!".
El árnica es muy buena en la mayoría de
las heridas graves de bala o de otra clase
de proyectil, así como también en otro tipo de
molestias como consecuencia de una extracción dental, así como en otras operaciones
quirúrgicas en las que partes muy sensibles
fueron violentamente manejadas. También
funciona en coyunturas dislocadas, después
de reducir una fractura de hueso" (Hahnemann).

Puede ayudar en casos de estupefacción, pérdida de la vista o del oído, traumas cerebrales, desesperanza, indiferencia, después de un trauma, apoplejía sanguínea, niños sin respirar al nacer, o cuando la madre ha tenido un parto muy doloroso. Cuando se presenta parálisis parcial por un trauma en la espina dorsal o en el cerebro. Algunos chochos en la lengua de una persona inconsciente, en muchas ocasiones han propiciado una reacción favorable, que muchas veces ha sido reforzada por una solución acuosa de los chochos de árnica.

En ancianos, el árnica es el medicamento para los hidroceles, cuando éstos son el resultado de una lesión, un raspón doloroso, púrpura inflamada, y aun erisipelas.

El Dr. G. I. Bidwell, en su excelente libro *Cómo Utilizar el Repertorio*, dedica casi doce páginas al árnica, y en el primer párrafo resume todo lo que hasta el momento se ha dicho en varias ocasiones a lo largo de este pequeño libro:

"El hilo rojo que se ha llevado a través de este medicamento es el dolor. Un estado general de dolor a través de todo el cuerpo. Las coyunturas empiezan a doler, el periosto duele, los músculos duelen y el dolor continúa hasta que comienza la rigidez y encontramos el dolor, la rigidez reumática dolorosa del paciente del árnica. El dolor se manifiesta en la piel, así que hay manchas negras y azules. El dolor es muy fuerte, pero la presión es muy dolorosa y las partes rígidas duelen, así que el dolor que él quiere quitar cambia de posición frecuentemente, ya que la parte por donde permanece más tiempo acostado es la que más duele y se vuelve más sensible. Él está rígido, así que el movimiento es doloroso, aun permanecer en la cama es doloroso, las partes que le duelen son las que debe mover. Así que cuando vemos a nuestros pacientes de árnica, debemos de esperar ver todo este dolor, si no fuera así, el árnica no sería el remedio".

El Dr. H. C. Allen, en sus *Notas Importantes de Algunos de los Remedios Líderes de la Materia Médica*, escribió acerca del árnica:

"Especialmente adecuada para aquellos que están afectados por lesiones mecánicas, dolor, rigidez, sensación de lastimaduras en todo el cuerpo como si los hubieran golpeado y afecciones traumáticas de los músculos.

"Para lesiones mecánicas, especialmente con estupor por el trauma, defecar y orinar involuntariamente. Traumas y contusiones como resultado de un shock o una lesión sin laceración de partes blandas. Asimismo previene la supuración de padecimientos sépticos y promueve la absorción. Cualquier cosa donde el acostarse parezca difícil.

"La meningitis después de una lesión mecánica o traumática por caídas, trauma cerebral, etc. Cuando se sospeche de un derrame sanguíneo para facilitar su absorción".

La literatura homeopática abunda en reportes del maravilloso poder de cicatrización de esta simple hierba, y éste es sólo uno de los remedios homeopáticos que cura sin efectos colaterales todo tipo de padecimiento que el hombre hereda.

Árnica Montana

- Mejor que cualquier otra para raspones, torceduras, tirones y traumas provocados por caídas.

- Dolor punzante en el pecho, dificultad para respirar, dolores del corredor, sangrado de la nariz.

- Adecuada en la mayoría de lesiones por trauma, especialmente si están acompañadas por extravasación de sangre.

- Indiferencia, falta de memoria, aun cuando se haya acabado de leer algo, temor a sufrir un ataque de alguien que se acerca.

- Mareo con ojos cerrados. Angina de pecho.

- Dolor de cabeza como si el cráneo estuviera distendido.

- Estupor después de una fractura de cráneo.

- Hemorragia subconjuntiva, especialmente después de una lesión o un ataque de tos.

- Hemorragia de la retina, absorción de sangre extravasculada.

- Dolor de muelas o sangrado excesivo después de una extracción.

- Trauma postoperatorio.

- Afecciones de la vejiga después de una lesión, urgencia para orinar, mientras la orina está saliendo por gotas.

- Despúes de palpitaciones demasiado fuertes, irritación, sensación de irritación en la garganta y ronquera, ciática.

- Fiebres intermitentes, síntomas de tifoidea, septicemia.

¡Raspones por todos lados!

Árnica Montana

Jack y Jill subieron a la colina
a traer un cubo lleno de agua.
Jack se cayó y le salió un chipote
  en la cabeza
y Jill se golpeó la cadera.

A ambos les dolía la cabeza,
y sufrían mucho por el golpe
y a ambos les sangraba su naricita,
ellos realmente se habían dado
  un buen golpe.

Pero ahora ellos dos, y me da gusto
  decirlo,
han recuperado su "Mente Sana".
¿Y qué creen que fue lo que los alivio?
Por supuesto, el Árnica Montana.

Índice

TÍTULOS DE
ESTA COLECCIÓN

El Poder Curativo del Ajo. *May Ana*

El Poder Curativo de la Cebolla. *May Ana*

El Poder Curativo de la Miel. *May Ana*

El Poder Curativo de la Naranja. *May Ana*

El Poder Curativo de la Sábila. *May Ana*

El Poder Curativo de la Vitamina E. *May Ana*

El Poder Curativo de las Vitaminas. *Jon Tillman*

El Poder Curativo de los Colores. *Barbara White*

El Poder Curativo de los Minerales. *Jon Tillman*

El Poder Curativo del Limón. *May Ana*

El Poder Curativo de los Jugos. *May Ana*

El Poder Curativo del Árnica. *Phyllis Speight*

El Poder Curativo del Ginseng. *May Ana*

El Poder Curativo del Nopal. *May Ana*

Impreso en Offset Libra

Francisco I. Madero 31

San Miguel Iztacalco,

México, D.F.